Posso conseguir o que desejo

Iyanla Vanzant

Posso conseguir o que desejo

Orações para cada momento da vida

SEXTANTE

Título original: *Every Day I Pray*

Publicado em acordo com a Simon & Schuster, Inc.

tradução: Cristiana de Assis Serra
preparo de originais: Regina da Veiga Pereira
revisão: Clara Diament e Sérgio Bellinello Soares
projeto gráfico e diagramação: Valéria Teixeira
capa: Miriam Lerner
impressão: Geográfia e Editora Ltda.

CIP-BRASIL. CATALOGAÇÃO-NA-FONTE
SINDICATO NACIONAL DOS EDITORES DE LIVROS, RJ

V383p Vanzant, Iyanla, 1953-
Posso conseguir o que desejo
/ Iyanla Vanzant ; tradução de Cristiana de Assis Serra. – Rio de Janeiro: Sextante, 2005.

Tradução de: Every day I pray
ISBN 85-7542-164-6

1. Orações.
I. Título.

05-0696. CDD 291.433
CDD 291.31

Editora Sextante (GMT Editores Ltda.)
Rua Voluntários da Pátria, 45 – Gr. 1.404 – Botafogo
22270-000 – Rio de Janeiro – RJ
Tel.: (21) 2286-9944 – Fax: (21) 2286-9244
E-mail: atendimento@esextante.com.br
www.sextante.com.br

Este livro é dedicado à
memória de minha irmã,
Sua Alteza Real
Leola Iyalu Oredola Opeodu,
e à minha madrasta e melhor amiga,
Lynnette May Brown Harris.

Sumário

Introdução

Fui criada na Holiness Church, onde *a oração era um grande acontecimento*, ao mesmo tempo deslumbrante e assustador para uma criança.

Por mais que eu não entendesse nada do que o pastor dizia, sabia que algo poderoso estava acontecendo. Havia ocasiões em que eu aplaudia só porque era o que todos os outros estavam fazendo. Em outras, eu batia palmas por medo – medo de que, se não aplaudisse, se só ficasse ali sentada olhando, Deus ia pensar que eu não sabia como rezar para Ele/Ela. Acabei chegando à conclusão de que não sabia mesmo. Muitos anos depois de ter deixado a igreja, continuava convencida disso. É claro que eu ainda sabia de cor todas as orações infantis que repetia automaticamente ajoelhada ao lado da cama. Mesmo assim, lá no fundo, eu tinha a crença secreta de que não sabia rezar, o que me assustava muito.

Lá pelos meus vinte e poucos anos, ouvi umas palavras – não sei bem onde, ou o que me levou a acreditar nelas – que mudaram minha forma de ver e experimentar a oração: "Tudo o que pensamos é uma oração. Cada palavra que pronunciamos é uma prece. Todo ato nosso é uma oração, porque o Espírito de Deus vive em nós." Não é espantoso? Eu não precisava dos tambores e palmas da Holiness Church, não precisava de um bando de gente ajudando a aumentar o volume da minha voz para que Deus me escutasse. Se as palavras que ouvi são verdadeiras – e acredito que sejam –, isso quer dizer que a todo instante, todos os dias, eu me comunico com o Criador/Criadora do universo. Também achei isso assombroso e assustador. Assombroso porque significa que Deus me conhece inteira, como a palma de Sua mão; assustador porque eu não gostaria de colocar nas mãos Dele/Dela algumas das coisas que penso, digo e faço. Mas sei que Ele não é assim. Agradeço, meu Deus, por Sua divina sabedoria; agradeço, meu Deus, por Sua graça.

A partir daí percebi que a essência, energia, poder e presença de Deus encontram-se guardados no âmago do meu ser. Compreendi também que, na verdade, Deus ouve todos os meus pensamentos e palavras – e sua resposta manifesta-se em minhas experiências, sentimentos e inúmeras inspirações que moldam o curso da minha vida. Creio firmemente que a oração constitui uma comunhão interior com o divino; isso significa que, quando tomo parte nessa comunhão de maneira ativa, coisas extraordinárias podem e devem acontecer (e, com efeito, acontecem – o tempo todo). Entretanto, meu primeiro desafio foi justamente aprender como me entregar e permanecer entregue conscientemente a tudo o que eu pensava e dizia, a fim de atingir esse envolvimento ativo no processo de comunhão com meu Criador/Criadora. Essa atitude também foi útil para reconhecer a resposta às minhas preces, quando ela se manifesta.

As Escrituras nos dizem para "Orar sem cessar", a fim de que, honrando Deus com todo o nosso ser, Ele/Ela ilumine nossos caminhos. Basicamente, o que aprendi foi que devo conversar com Deus, estar em comunhão com Ele/Ela, ter consciência de Sua presença junto a mim o tempo todo. Foi graças a esse entendimento e a essa aspiração que se desenvolveu todo o meu amor pela oração. Às vezes eu brinco dizendo que rezo a respeito de tudo, inclusive do que vestir e do que comer – o que, em certo sentido, não deixa de ser verdade. Mantenho meus pensamentos voltados para aquilo que acredito que vá honrar a presença do divino dentro de mim. De vez em quando, tenho longas conversas com Deus. Às vezes, faço perguntas. Confesso que vez por outra também desabafo minhas frustrações, temores e ansiedades de formas nada honrosas. No entanto, independentemente de como ou sobre o que eu reze, o resultado é sempre consolador. Orar me traz a paz que vivo buscando; acima de tudo, creio que assim fortaleço minha ligação com a presença todo-poderosa existente no mundo e dentro de mim. E, desta forma, sou atendida.

Ao longo de todos esses anos, recebi centenas de cartas de pessoas que acreditam, tal como eu já acreditei, que não sabem rezar. Elas buscam fórmulas, pois têm medo de rezar – e um medo ainda maior de não rezarem certo. Lembrem-se: *cada* pensamento, *cada* palavra, *cada* ato *é uma prece*. Se tomarmos consciência disso, focalizando toda a nossa atenção em honrar a presença de Deus em tudo e todos, a oração vai tornar-se algo tão natural quanto respirar. Se formos capazes de *abrir mão da necessidade* de orar corretamente e tratarmos apenas de rezar com tranqüilidade, honestidade e fé, nossos pensamentos e palavras serão inundados pela essência radiante de Deus. Assim, quando escorregarmos, a Graça intervirá, traduzindo as palavras em seu sentido mais profundo; junto com suas irmãs, a Fé e a Esperança, ela irá modelar nossos pensamentos e palavras, para que recebamos exatamente aquilo de que necessitamos: uma resposta para nossas preces que auxilie em nosso crescimento interior.

Este livro reúne orações que elaborei ao longo dos anos. Como descobri que escrever as preces me ajuda a fixá-las, resolvi criar um Diário de Orações. Algumas são baseadas ou inspiradas nas Escrituras; outras são idéias minhas, frutos dos meus diálogos íntimos com Deus. As preces aqui apresentadas abrangem uma variedade de tópicos e necessidades. De preferência, leia-as em voz alta, para que as palavras penetrem mais profundamente em seu espírito. Acrescente o que quiser, de acordo com seu sentimento e com as experiências de sua vida. Ao fim das orações, sugiro que você fique alguns minutos em silêncio, respirando, relaxando o corpo e deixando-se impregnar pela mensagem da oração.

Rogo a Deus que este livro acenda uma luz em seu coração – e quem sabe até o inspire a escrever algumas preces de sua própria autoria. Ou, talvez, ao lê-las em voz alta, junto com a família e amigos, você venha a conhecer e experimentar a paz da graça de Deus. Acredito que, assim, consolidaremos a presença da paz, alegria, equilíbrio, harmonia e do próprio Deus no planeta. São estas a minha visão e intenção com as orações que lhe ofereço.

Que Deus o abençoe!

Iyanla

Para construir uma vida de oração

Querido Deus:

Eu agradeço pelo privilégio da oração.

Tenho consciência de que ela é a minha linha direta de comunicação com Você.

Reconheço que a oração me possibilita fazer muito mais do que o meu próprio poder, tão restrito.

Agradeço porque, em meus momentos mais sofridos ou de maior fragilidade, posso buscá-Lo em minhas preces.

Agradeço porque, quando a desesperança e o desespero ameaçam me dominar, posso buscá-Lo em minhas preces.

Agradeço pelo privilégio da oração.

Agradeço porque, quando minha capacidade e conhecimento são insuficientes para enfrentar as dificuldades da vida, posso buscá-Lo em minhas preces.

Agradeço porque, quando me sinto fraca e desamparada, posso buscá-Lo em minhas preces.

Agradeço porque, quando a família e os amigos me viram as costas justamente quando mais preciso, ou não ficam ao meu lado para me encorajar e apoiar, posso buscá-Lo em minhas preces.

Agradeço pelo privilégio da oração.

Agradeço porque, quando eu "não posso", Você pode, e me socorre quando eu O busco em minhas preces.

Agradeço porque, quando eu não sei, Você *sabe*, e me cobre de entendimento quando O busco em minhas preces.

Agradeço porque, quando não sei o que dizer ou fazer, Você me proporciona Sua orientação divina e capacidade de falar a verdade sem hesitar, bastando para isso que eu O busque em minhas preces.

Agradeço pelo privilégio da oração.

Agradeço por ser meu mediador nos conflitos e me proteger de meus adversários internos e externos quando eu O busco em minhas preces.

Agradeço por me proteger e incentivar, e por ser meu maior defensor.

Você me inspira, me motiva, me ajuda a fazer o que é melhor para o meu bem, quando eu O busco em minhas preces.

Agradeço pelo privilégio da oração.

Agradeço porque, em qualquer situação, independentemente do que eu sinta ou faça, posso buscá-Lo a qualquer momento em minhas preces.

Agradeço porque não há nada que eu e Você não possamos fazer juntos, quando exponho minhas aflições e súplicas em minhas preces.

Agradeço pelo privilégio da oração, pela rapidez da sua resposta cada vez que recorro a Você.

Agradeço, meu Deus, por ouvir minhas preces.

Agradeço por acolher minhas súplicas.

Agradeço pelo extraordinário poder e privilégio da oração.

Por tudo aquilo que já recebi e tudo o que ainda está por vir, venho humildemente oferecer minha oração de gratidão.

E assim seja!

Oração matinal

Querido Deus:

Este é o dia que Você criou; eu agradeço por fazer parte dele.

Este é um dia diferente de todos os outros, e eu agradeço por esta oportunidade de recomeçar.

Este é o dia em que vou me entregar inteiramente aos Seus cuidados.

Este é o dia que usarei para servi-Lo com fé e alegria.

Este é o dia em que darei mais um passo no meu processo de crescimento e libertação – e eu agradeço por isso.

Neste dia, neste momento, declaro que quero livrar-me do medo! Livrar-me dos ressentimentos! Livrar-me da raiva! Livrar-me da vergonha! Livrar-me da culpa! Livrar-me de todos os pensamentos e atos improdutivos e prejudiciais!

Neste dia glorioso que Você me concedeu, quero com entusiasmo e determinação construir a vida que Você criou para mim.

Uma vida de paz, alegria, amor, realização e generosidade.

Este é o dia, meu Deus!

Seu dia! Meu dia!

E, por este dia, eu dou imensas, infinitas graças.

E assim seja!

Oração de ação de graças

Querido Deus:

Faça-se a luz!

Você, Senhor, é a minha luz!

Faça-se a alegria!

Você, Senhor, é a minha alegria!

Faça-se a paz!

Você, Senhor, é a minha paz!

Faça-se uma abundância de coisas boas, de relacionamentos felizes e experiências positivas na minha vida.

Você, Senhor, é a fonte de tudo de bom que desejo ou de que necessito!

Que a minha mente fique plena da sabedoria da sua presença.

Você, Senhor, é a infinita inteligência do universo. Você é a minha sabedoria – a presença que me conduz a todo pensamento justo, a todos os atos bons e a todas as respostas acertadas em cada experiência.

Que meu coração fique pleno de amor, respeito e consideração por mim mesma e por todas as outras pessoas.

Você, Senhor, é a presença do amor, recriando-se e multiplicando-se no mais profundo do meu ser!

Que meu corpo fique pleno da saúde e bem-estar radiantes que vêm da Sua presença.

Que minha vida fique plena da Sua bondade, da Sua paz, da Sua alegria e da Sua luz.

Isso é bom! Isso é Deus!

Eu agradeço, meu Deus!

Eu agradeço, meu Deus!

Eu agradeço por ter me dado tudo de que preciso para crescer e realizar plenamente meu potencial como pessoa!

Por me fazer ter consciência dos dons que recebi e da possibilidade de multiplicá-los e colocá-los a serviço dos outros e do mundo, eu dou graças.

Assim é!

E assim seja!

Oração de reconhecimento

Querido Deus:

Reconheço que Você, meu Deus, é extraordinário!

Reconheço que Você, meu Deus, é magnífico!

Reconheço que Você, meu Deus, é assombroso!

Reconheço que Você, meu Deus, está sempre pronto para prover e proteger.

Reconheço que Você, meu Deus, é uma presença poderosa em todas as situações.

Reconheço que Você, meu Deus, é um amigo amoroso.

Reconheço que Você, meu Deus, é um consolo nas aflições.

Reconheço que Você, meu Deus, é a sabedoria que nos conduz.

Reconheço que Você, meu Deus, indica o caminho para todas as coisas boas e nos afasta de tudo o que nos faz mal.

Reconheço o Seu amor!

Reconheço a Sua sabedoria!

Reconheço a Sua compaixão!

Reconheço a Sua misericórdia!

Reconheço que Você, meu Deus, é a solução dos problemas.

Reconheço que Você, meu Deus, é a resposta às perguntas.

Reconheço que Você, meu Deus, é a calma em meio à tempestade.

Meu querido Deus, reconheço o poder da Sua presença no meu coração.

Reconheço o poder da Sua presença em meu espírito.

Reconheço o poder da Sua presença na minha vida.

Aqui estou, agora, trazendo em mim a energia, a coragem, a tranqüilidade e todo o poder da magnífica, fantástica, extraordinária força de Deus.

Sei que tudo o que acontece em minha vida é para a realização do meu maior bem. Por tudo isso, eu dou graças.

Assim é!

E assim seja!

Oração para permanecer em sintonia com Deus

É através de mim que Deus se revela.

Venho agora pedir que a paz de Deus se revele em meu espírito.

É através de mim que Deus se revela.

Venho agora pedir que o amor de Deus se revele em meu coração.

É através de mim que Deus se revela.

Venho agora pedir que a perfeição de Deus se revele em mim sob a forma de saúde.

É através de mim que Deus se revela.

Venho agora pedir que a abundância de Deus se revele em mim sob a forma de riqueza.

É através de mim que Deus se revela.

Venho agora pedir que a presença de Deus se revele em mim sob a forma de alegria.

É através de mim que Deus se revela.

Venho agora pedir que o poder de Deus se revele sob a forma de proteção para mim e minha família.

É através de mim que Deus se revela.

Agradeço, meu Deus, por revelar-se sob a forma de paz na minha vida.

Agradeço, meu Deus, por revelar-se sob a forma de amor na minha vida.

Agradeço, meu Deus, por revelar-se como a alegria na minha vida.

Agradeço, meu Deus, por revelar-se nos meus gestos amorosos.

Agradeço, meu Deus, por me defender, me proteger, me guiar, por tomar conta de tudo o que é meu, por me tornar capaz de realizar tudo aquilo que me é pedido.

Agradeço, meu Deus, por curar meus relacionamentos e meu corpo.

Agradeço, meu Deus, por atender a todas as minhas necessidades.

Acima de tudo, meu Deus, eu agradeço por Você me amar exatamente como sou, por saber do que preciso e por atender as minhas necessidades, antes mesmo de eu pedir.

Hoje, reconheço, aceito e acredito que Deus está presente em todo o universo, e está presente no mais íntimo do meu ser, e que não existe nada que precise ser alterado ou curado, porque Deus, o meu Deus, sempre se revelará.

Por isso, eu dou graças.

E assim seja!

Acolhendo o Espírito Santo em minha vida

Espírito Santo, eu o acolho em minha mente.
Espírito Santo, eu o acolho em minha mente.
Espírito Santo, eu o acolho em minha mente.
Transforme a minha mente, Espírito Santo.
Ponha cada um dos meus pensamentos em sintonia com o plano perfeito de Deus para a minha vida.

Espírito Santo, eu o acolho em meu coração.
Espírito Santo, eu o acolho em meu coração.
Espírito Santo, eu o acolho em meu coração.
Transforme o meu coração, Espírito Santo.
Apague todos os sentimentos, lembranças e experiências que não sejam um reflexo do amor de Deus por mim.

Espírito Santo, eu o acolho em minha vida.
Espírito Santo, eu o acolho em minha vida.

Espírito Santo, eu o acolho em minha vida.

Transforme todas as condições, situações e circunstâncias da minha vida. Faça dela um reflexo vivo da bondade e glória de Deus.

Espírito Santo, me transforme, me transforme, me transforme.

Transforme cada parte de mim que não esteja em sintonia com o amor de Deus, com Sua bondade, Seu propósito e Seu plano perfeito.

Transforme meu ser inteiro para que eu viva uma vida de alegria, paz, integridade, serenidade, harmonia e abundância.

Espírito Santo, eu o acolho em minha mente.

Espírito Santo, eu o acolho em meu coração.

Espírito Santo, eu o acolho em minha vida.

Ajude-me a ser tudo aquilo que Deus me criou para ser.

Por Sua presença, eu dou graças.

Assim é!

E assim seja!

Prece pedindo orientação

Querido Deus:

Esteja presente em tudo o que eu fizer hoje. Tire da minha vida tudo e todos que possam desviar minha atenção de Você. Varra da minha mente todo pensamento, toda crença, toda intenção, toda motivação que não façam de Você a prioridade em minha vida. Elimine do meu coração toda experiência, toda lembrança, todo desejo que não atendam ao Seu propósito para a minha vida. Faça com que eu lembre que o Seu plano e o Seu amor por mim são a minha salvação. Todo o resto não passa de fantasia da minha imaginação e fruto do medo. Hoje, meu querido Deus, eu me entrego em suas mãos e deixo que Você escolha as bênçãos que quer me dar.

E assim seja!

Oração pedindo clareza

Querido Deus-Pai, Deus-Mãe, Bendito Espírito Santo:

Ensine-me a cuidar dos meus pensamentos e desejos para que sejam sempre repletos de amor, harmonia e paz, tanto para mim quanto para todos os que fazem parte da minha vida, em todas as situações e circunstâncias.

Lembre-me de que Você faz parte da minha mente e por isso ela é capaz de tomar decisões e fazer escolhas amorosas e pacíficas.

Estou disposta e pronta a iniciar uma nova vida – uma vida sem medo, repleta de alegria e paz.

Sei que, quando eu afastar da minha mente os pensamentos sombrios, dominados por dúvidas e temores, viverei da forma que busco.

Creio que, quando meu desejo for movido por Seu amor, Sua paz e Sua vontade, a vida com que sonho se tornará realidade.

Mostre-me, Deus querido, como ver com clareza e usar minha mente da melhor maneira possível.

Neste momento, eu peço sabedoria para fazer as escolhas mais acertadas e tomar as melhores decisões para a minha vida. Então, serei renovada! Serei revigorada! Ficarei repleta da confiança de quem sabe, sente e vive inundada pelo amor de Deus, por Sua graça, por Seu ilimitado bem.

Assim é!

E assim seja!

Desejo mudar

Desejo mudar!

Desejo mudar meus pensamentos!

Desejo mudar meu coração!

Desejo mudar a maneira como vejo a mim e o mundo que me cerca!

Desejo mudar as coisas que *faço* e a forma como faço!

Desejo ser capaz de mudar e usufruir todas as transformações trazidas pela mudança!

Sei que sozinha nada posso fazer.

Por isso eu me abro para acolher o Espírito Santo, permitindo que Ele opere em minha mente e em meu coração todas as mudanças necessárias para que eu me torne tudo aquilo que Deus me criou para ser.

Eu me disponho a ser transformada, a ter meus verdadeiros pensamentos restaurados, a ter meu coração renovado, de acordo com o plano perfeito de Deus.

E assim seja!

Oração para ter força interior

Bendito Espírito Santo:

Alegrei-me quando Você me disse "*Vamos à casa do Senhor!*".

Quando meu coração estava pesado de angústia, fui à casa do Senhor.

Quando minha mente estava mergulhada em confusão, fui à casa do Senhor.

Quando meu corpo estava torturado de dor, fui à casa do Senhor.

Quando minha carteira e minha conta bancária estavam vazias, fui à casa do Senhor.

Quando os entes que me são mais próximos me traíram e me desprezaram, fui à casa do Senhor.

Quando meus maiores esforços não foram reconhecidos nem recompensados, fui à casa do Senhor.

Quando me senti perdida e incapaz de encontrar meu caminho, fui à casa do Senhor.

Eu agradeço, Senhor, por Sua casa existir *dentro* de mim e *para* mim.

Na Sua casa há paz de espírito.

Na Sua casa há segurança.

Na Sua casa há plenitude.

Na Sua casa há uma direção clara.

Na Sua casa há cura.

Na Sua casa há amor incondicional.

Na Sua casa há inspiração.

Na Sua casa há alívio e consolo.

Na Sua casa há compaixão.

Na Sua casa há alegria.

Na Sua casa há perdão.

Na Sua casa há força.

Na Sua casa há poder.

Alegrei-me quando Você me disse "*Vamos à casa do Senhor!*".

Eu agradeço, Senhor, pelo convite permanente para ir à Sua casa, porque nela minha alma e minha mente encontram repouso.

Por isso, eu agradeço.

E assim seja!

Por favor, desfaça os nãos

Querido Deus:

Por favor, faça com que os *nãos* que invadem o meu espírito, meu coração e minha vida sejam desfeitos.

Por favor, faça com que cada *não tem, não pode* e *não faça* que dominam a minha mente sejam afastados.

Por favor, faça com que cada *não vai, não deve, não convém* que penetram o meu coração sejam apagados.

Por favor, faça com que todos os *não poderia, não deveria* e *não caberia* que paralisam minha vida sejam desatados.

Acima de tudo, Deus, tire da minha mente, do meu coração e da minha vida todo e qualquer *não sou* que permiti que me diminuísse.

Por favor, faça com que a idéia de que *não* sou boa o bastante seja varrida da minha mente.

Por favor, faça com que o sentimento de que

não sou amada o bastante seja expurgado do meu coração.

Por favor, faça com que tudo aquilo a que me agarro para sustentar a crença de que *não* sou capaz seja eliminado da minha vida.

Hoje, meu querido Deus, venho, com humildade e reverência, pedir que todos os *nãos* que contaminaram todos os aspectos da minha vida sejam desfeitos e apagados.

Eu dou graças por Sua misericórdia e Sua graça.

Que essas palavras sejam iluminadas pela presença do Espírito Santo, tornando-se realidades na minha vida.

E assim seja!

Prece pedindo a compaixão divina

Querido Deus:

Hoje necessito da Sua compaixão.

Com toda a humildade, eu peço que tenha compaixão de mim!

Tenha compaixão de mim por todas as indelicadezas e agressões que já cometi, por todas as vezes em que desrespeitei alguém.

Tenha compaixão de mim, por todos os comentários desagradáveis e maldosos que já fiz, por todas as palavras que feriram alguém.

Tenha compaixão de mim, por minha intolerância e impaciência para comigo e para com os outros.

Tenha compaixão de mim, por ser tão crítica e por julgar tanto a mim mesma quanto os outros.

Tenha compaixão de mim, por permitir que o

medo me leve a agir de maneira impulsiva, prejudicando a mim e os outros.

Tenha compaixão de mim, por deixar-me motivar pela cobiça, apropriando-me de mais do que preciso, para depois desperdiçá-lo.

Tenha compaixão de mim por não dizer, nem para mim mesma nem para os outros, a verdade sobre meus sentimentos – e depois me irritar quando me pedem para fazer algo que não quero, para o qual não me sinto preparada.

Tenha compaixão de mim por não pedir aquilo de que preciso – e depois me irritar quando não recebo aquilo que desejo.

Tenha compaixão de mim por esquecer-me de agradecer tudo o que já recebi.

Tenha compaixão de mim quando me comparo aos outros – e fico zangada quando os vejo fazerem o que não fiz, ou receberem o que não consegui.

Tenha compaixão de mim por descarregar minha raiva e frustração justamente naqueles que mais amo.

Tenha compaixão de mim por ser tão intolerante comigo mesma e com os outros.

Tenha compaixão de mim quando deixo de fazer algo por medo de errar, e depois culpo os outros pelo que deixei de fazer.

Tenha compaixão de mim pela minha falta de compaixão.

Tenha compaixão de mim por tudo aquilo que, no fundo, eu não desejaria fazer, mas acabo fazendo.

Hoje, meu Deus, necessito da sua compaixão porque sei que ela pode me transformar!

Reconheço que, sozinha, nada sou capaz de fazer! É só com o poder da Sua compaixão e da Sua graça que meus pensamentos, palavras e atos poderão ser mudados.

Dou graças pela transformação que já está se operando em mim neste exato momento.

E assim seja!

As promessas de Deus

Querido Deus:

Você é a minha luz e a minha salvação. Por favor, ajude-me a entender por que sinto tanto medo de me tornar a pessoa que Você me criou para ser.

Apesar de ter consciência de que recebi de Você todas as coisas boas da minha vida, ainda tenho dificuldade em acolher Sua alegria, Sua paz e Seus dons que me chegam a todo momento, todos os dias.

Recebi Sua promessa de que, mesmo que meu pai, minha mãe, meus amigos, meu parceiro e meus filhos me virassem as costas, Você ainda estaria comigo para me guiar, me proteger, me amar exatamente como sou. Ajude-me a entender que é o medo ou a auto-suficiência que me impedem de confiar em Você totalmente, para tudo.

Você me prometeu que não permitiria que o

inimigo me controlasse, que estaria sempre ao meu lado e me conduziria para um porto seguro.

Você me prometeu que abriria para mim portas que ninguém mais seria capaz de fechar, e que fecharia portas que ninguém conseguiria abrir. Você prometeu que me serviria um banquete, mesmo que todos dissessem que era impossível.

Hoje, gostaria de compreender por que não confiei nas Suas promessas.

Hoje, quero permanecer à sombra da Sua presença para entender o que eu faço, o que temo, o que me impede de viver a vida que Você preparou para mim.

Peço Suas respostas e revelações com todo o amor e delicadeza do Seu cuidado, para que eu possa habitar a morada da Sua alegria, da Sua paz, da Sua compaixão, da Sua graça e do Seu amor. Para que eu possa experimentar a liberdade com que Você me presenteou.

Por isso e por tudo o que Você faz por mim, eu dou graças.

Assim é!

E assim seja!

O amor perfeito

Amo Você hoje, meu Deus.

Amo Você e tudo o que Você é em mim, tudo o que Você é através de mim, tudo o que Você faz por meu intermédio.

Amo sentir que a Sua graça é a minha força.

Amo compreender que a Sua verdade é o meu poder.

Amo saber que a Sua sabedoria é a minha orientação.

Amo a certeza de que Você é a minha fonte e fortaleza.

Amo a paz que a Sua presença me traz.

Amo a Sua compaixão que me entende e me perdoa.

Amo as respostas dadas pela Sua verdade.

Amo a alegria trazida pelo Seu amor.

À medida que tomo consciência de que Você é minha essência, percebo que eu O amo hoje, meu Deus, e me alegro por ter certeza do Seu amor.

E assim seja!

Uma bênção para o corpo

(Para todos os dias ou em tempos de sofrimento físico)

Querido Deus:

Abençoe o meu corpo hoje!

Derrame sobre cada parte dele a força do Seu amor.

Impregne cada músculo, cada tecido, cada célula, cada órgão e cada sistema do meu corpo com Sua divina energia e saúde.

Abençoe o meu corpo hoje, meu Deus!

Abençoe cada parte dele com Sua divina força e plenitude.

Elimine os estragos provocados pelos meus abusos e negligências comigo mesma.

Impregne cada parte de meu corpo com a Sua divina luz, que restaurará a ordem divina em todas as partes dele.

Abençoe meu corpo hoje!

Fortaleça meu corpo hoje, meu Deus!

Fortaleça meus braços e minhas pernas.

Fortaleça minhas mãos e meus pés.

Fortaleça meu coração e todos os sistemas que ele sustenta.

Inunde-me com o poder curativo da Sua força, corrigindo e eliminando todos os desequilíbrios, enfermidades e desarmonias.

Abençoe meu corpo com força hoje!

Eu me abro para acolher Seu divino amor, luz e ordem em cada parte do meu corpo.

Louvo meu corpo!

Amo meu corpo!

Dou graças pelo meu corpo!

Sei que meu corpo está íntegro, com saúde e coberto de bênçãos!

Sinto-me bem!

Meu corpo se sente bem!

Por tudo isso, eu dou graças.

E assim seja!

Oração do casal

Querido Deus:

Abençoe meu casamento hoje.

Abençoe-me e ao meu marido/esposa com uma visão clara do Seu objetivo para a nossa união.

Abençoe-nos, harmonizando nossos passos.

Abençoe nossas orações um pelo outro. Abençoe-nos, pondo-nos a salvo de todos os males. Abençoe-nos com um lar pacífico e amoroso. Abençoe-nos com corações abertos e repletos de compaixão um pelo outro.

Abençoe-nos, para que não nos esqueçamos de nos congratular e incentivar um ao outro.

Abençoe-nos com a força que vem do nosso íntimo e nos reveste por dentro e por fora, de modo que nenhum ataque possa nos atingir.

Abençoe meu marido/esposa em tudo o que ele/a fizer hoje.

Abençoe seus pensamentos, palavras e atos em cada situação e em todas as circunstâncias.

Abençoe e inunde seu coração com muita paz e alegria; ouça todas as suas preocupações e inspire-o/a a encontrar a solução adequada, com clareza e cuidado.

Abençoe-me com paciência, para que eu seja uma/um parceira/o mais tolerante.

Abençoe-me para que eu possa ver apenas aquilo que realmente importa e desapegar-me de todos os hábitos e atitudes que sejam motivos de discórdia.

Abençoe nossas finanças hoje. Lembre-nos de usar nossos recursos com sabedoria e de nunca esquecer do nosso próximo.

Abençoe-nos para que colaboremos um com o outro.

Abençoe-nos para que a verdade seja a base sólida da nossa confiança mútua.

Abençoe-nos para que consigamos reconhecer nossas diferenças e respeitá-las.

Abençoe-nos para que enxerguemos um no outro a bondade da Sua presença.

Abençoe-nos com bons pensamentos que se traduzam em palavras e gestos amorosos.

Abençoe-nos para que saibamos quando falar e quando ouvir.

Abençoe-nos para que escutemos com nossos corações e não com nossas mágoas.

Abençoe nosso casamento para que se torne terreno fértil para a Sua presença e o Seu amor.

Querido Deus, eu O convido a ocupar o centro do nosso matrimônio, para que ele se transforme em tudo aquilo que Você o criou para ser.

Pelas bênçãos da Sua presença pacífica e amorosa em nossa união, eu dou graças.

E assim seja!

Oração de um pai por seus filhos

Querido Deus:

Em Suas mãos deposito a mente, o corpo e o espírito dos meus filhos
(*nome dos filhos*), pedindo que os prepare para se tornarem as pessoas que Você os criou para ser. Afaste-os de tudo e de todos que não os conduzam ao seu bem maior.

Dê-lhes sabedoria para defender-se daqueles que os afastem do destino que Você lhes reservou.

Ensine-os a lidar com seus medos, dúvidas, raivas e ressentimentos, não se deixando dominar por esses sentimentos.

Torne-os fortes o bastante para enfrentar desafios, superar obstáculos, resistir a tentações que possam desviá-los do caminho traçado por Você.

Ensine (*nome dos filhos*)

a honrar seus corpos como o templo sagrado em que Você habita.

Ensine meus filhos a respeitar o poder de suas mentes.

Ensine-os a usar com generosidade seus dons e talentos.

Abrande seus corações com bondade e compaixão.

Acima de tudo, meu Deus, faça-os saber como Você os ama. Faça-os sentir o Seu amor, faça-os conhecê-Lo e expressá-Lo o tempo todo, em todas as circunstâncias.

Aproxime-os de Você e afaste-os dos padrões de pensamento e comportamento que não sejam produtivos, respeitosos e saudáveis.

Envolva meus filhos generosamente com Sua graça e Sua luz.

Mostre-lhes Seus caminhos e inspire-os a fazer deles sua prioridade na vida.

Ensine-me a falar com meus filhos de forma a estimulá-los a fazer o bem em todas as ocasiões.

Ajude-me a não projetar sobre eles meus medos e minhas expectativas.

Faça com que eu procure conhecê-los tal como são e não como eu desejaria que fossem.

Ensine-me a me comunicar e demonstrar o meu amor de forma saudável e carinhosa.

Se houver alguma coisa que eu faça ou diga que não seja um bom exemplo para meus filhos, peço que a elimine imediatamente!

Com toda a fé e confiança, peço que eu seja capaz de construir um laço sólido de amor, alegria, harmonia, respeito e bondade com meus filhos.

Eu agradeço, Senhor!

Eu agradeço, Senhor!

Eu agradeço, Senhor!

Pois sei que minha oração é atendida no momento em que a faço.

Assim é!

E assim seja!

Oração de uma mãe por seus filhos

Bendito e divino Deus-Pai, santa e misericordiosa Deusa-Mãe:

Eu agradeço pelo dom da maternidade. Agradeço pela bênção que são os meus filhos em minha vida. Agradeço por estabelecer entre mim e eles um laço sagrado de amor que não pode ser rompido e é capaz de sustentá-los em qualquer situação de vida.

Eu agradeço, Senhor, por abençoar meus filhos.

Peço que Você abençoe sempre suas mentes, dando-lhes clareza e sabedoria para fazer suas escolhas.

Peço que abençoe seus corações, para que sejam generosos. Abençoe seus sonhos, para que se realizem pela Sua graça.

Agradeço porque sei que Você estará ao lado de meus filhos nas experiências difíceis que enfrentarão ao longo da vida.

Peço do fundo do coração que lhes dê coragem. Peço que lhes confira força! Que tenham uma mente e um coração bons e pacíficos.

Agradeço, Senhor, por amar meus filhos ainda mais do que eu os amo.

Ampare-os nos momentos de dor. Ampare-os nos momentos de medo. Ame-os quando não tiverem forças para amarem a si próprios.

Agradeço, Senhor, por proteger e orientar meus filhos quando não estou por perto.

Peço para encontrar sempre palavras que os ajudem e para dar-lhes bons exemplos através de meus atos.

Agradeço por atender a todas as necessidades, realizar todos os sonhos e purificar cada desejo que meus filhos possam acalentar.

Agradeço, meu Deus, porque sei que Você está sempre ao lado dos meus filhos.

Agradeço por sua saúde e força.

Agradeço por colocá-los a salvo de todo mal e afastá-los dos perigos.

Agradeço pelo círculo de luz e proteção amorosas que os envolve onde quer que estejam.

Agradeço, Senhor, por Sua promessa de que as súplicas de uma mãe por seus filhos nunca ficarão sem resposta.

Por tudo isso, eu dou muitas graças.

E assim seja!

Oração de uma mãe pela criança que vai nascer

Deus bendito e misericordioso,

Eu agradeço pelo dom da vida.

Eu agradeço pela vida desta criança que cresce dentro de mim.

Agradeço pelo Seu amor que está modelando e formando a vida desta criança à imagem da perfeição divina.

Agradeço por modelar a mente desta criança;

Agradeço por modelar seus ossos;

Agradeço por modelar seu destino e imprimi-lo em seu coração.

Agradeço por encher com Sua luz amorosa todo o ser desta criança.

Agradeço por saber seu nome e chamá-la enquanto ela ainda está se formando.

Agradeço por me fazer amá-la antes mesmo de nascer.

Agradeço pelos alimentos que me dão vida e energia enquanto esta criança cresce dentro de mim.

Agradeço por conceder-me um repouso sereno enquanto esta criança cresce dentro de mim.

Agradeço por me proteger de todo mal e perigo enquanto esta criança cresce dentro de mim.

Agradeço pela paz de espírito enquanto esta criança cresce dentro de mim.

Neste exato momento, entrego em Suas mãos todas as minhas preocupações a respeito da saúde e bem-estar da preciosa vida que cresce no interior do meu corpo.

Neste exato momento, convido a Sua graça, Sua misericórdia e a amorosa luz da Sua presença a inundar o meu ser e sustentar a vida que cresce dentro de mim.

Prepare-me para este parto. Prepare o meu espírito. Prepare o meu corpo.

Dê-me paciência para viver os desconfortos da

gravidez e transforme qualquer incômodo em energia para o bem desta criança.

Abençoe a mim e a esta criança, para que seu nascimento transcorra de modo tranqüilo e sem esforço, sob a graça da Sua paz.

Confio esta criança aos cuidados dos Seus anjos.

Confio todo o meu ser aos Seus cuidados.

Dou graças e louvor por esta vida abençoada que cresce dentro de mim.

Acolha a minha prece, encha-me de confiança no Seu cuidado e proteção.

Faça com que a criança que espero se torne uma pessoa de bem, e que o mundo seja melhor com a sua presença.

Por tudo isso, eu dou muitas graças.

E assim seja!

Oração pedindo proteção

Bendito Espírito Santo:

Ao iniciar mais um dia,

Peço a luz da Sua proteção para mim e para aqueles que amo.

Peço que a Sua proteção envolva meus filhos;

Que nenhum mal os atinja.

Peço que a Sua proteção envolva meu parceiro;

Que nenhum mal o atinja.

Peço que a Sua proteção me envolva;

Que nenhum mal me atinja.

Peço que a Sua proteção envolva meus pais;

Que nenhum mal os atinja.

Peço que a Sua proteção envolva meu lar;

Que nenhum mal o atinja.

Peço que a Sua proteção envolva a condução que vai me transportar;

Que nenhum mal a atinja.

Espírito Santo, proteja-nos de todos os males neste dia que se inicia.

Sei que é Seu desejo que permaneçamos protegidos em cada momento deste dia.

Que seja feita a Sua vontade.

E assim seja!

Oração para perdoar-se

Bendito e divino Espírito Santo:

Ouça as minhas palavras e cubra-as de graça. Eu agora o convoco, Espírito Santo, convoco a presença da Sua misericórdia e do Seu amor. Peço que meus guardiões, anjos, guias e todos os espíritos de luz me cerquem. Peço que as palavras que vou dizer agora sejam acolhidas e transformadas em energia que me traga paz e que eu possa usar para servir a Deus e ao mundo.

Com a ajuda do Espírito, eu agora me perdôo por não me julgar aceitável.

Com a ajuda do Espírito, eu agora me perdôo por não me julgar suficiente.

Com a ajuda do Espírito, eu agora me perdôo por julgar-me um problema para os outros.

Com a ajuda do Espírito, eu agora me perdôo por julgar-me um fardo para os outros.

Com a ajuda do Espírito, eu agora me perdôo por julgar-me uma pessoa má.

Com a ajuda do Espírito, eu agora me perdôo por não me julgar digna de amor.

Com a ajuda do Espírito, eu agora me perdôo por julgar-me inútil.

Com a ajuda do Espírito, eu agora me perdôo por julgar haver algo de errado comigo.

Com a ajuda do Espírito, eu agora me perdôo por julgar-me errada.

Com a ajuda do Espírito, eu agora me perdôo por julgar-me uma vítima.

Com a ajuda do Espírito, eu agora me perdôo por julgar-me sem valor.

Com a ajuda do Espírito, eu agora me perdôo por julgar-me indesejada.

Com a ajuda do Espírito, eu agora me perdôo por julgar-me sem lugar no meio da minha família e dos meus amigos.

Com a ajuda do Espírito, eu agora me perdôo por julgar que sempre necessito provar meu valor.

Com a ajuda do Espírito, eu agora me perdôo por julgar-me indigna.

Com a ajuda do Espírito, eu agora me perdôo por não acreditar que sou uma amada filha de Deus.

Pelo poder e graça do perdão, eu neste momento reconheço e declaro que sou uma pessoa sagrada, perfeita e completa.

E assim seja!

A liberdade do perdão

Hoje, venho pedir e rogar que todos aqueles que feri, magoei ou prejudiquei me perdoem por todos os males criados por meus pensamentos, palavras ou atos.

Hoje, sei que nenhum mal, nenhuma dor, nenhuma aflição, nenhuma situação ou pessoa, é maior do que o poder de Deus ou o Seu amor.

O amor de Deus me compreende, tem compaixão de mim.

O amor de Deus conhece minhas intenções e sabe das minhas dificuldades.

O amor de Deus me protege, me acalenta e me guia. Sinto paz na minha alma.

Hoje, abro o meu coração para o poder do amor de Deus. Eu perdôo. Estou perdoando. Sou perdoada.

E assim seja!

Perdoe-me, Senhor

Senhor, Você sabe que sou um ser humano carente e vulnerável, e por isso muitas vezes posso errar. Ao pedir perdão, não quero insistir na culpa, mas expressar minha total confiança na Sua ajuda para aprender com os erros, superá-los e crescer.

Perdoe-me, Senhor, por insistir nas falhas, por resistir à mudança, por colocar tantas vezes meus interesses à frente da Sua vontade.

Perdoe-me por acusar os *outros* de comportamentos e atitudes que também são meus.

Perdoe-me por depender tanto da opinião alheia, quando sei que o de que necessito é olhar para dentro de mim.

Perdoe-me por dizer uma coisa e fazer outra.

Perdoe-me por estar sempre pedindo mais, em vez de expressar gratidão pelo que já tenho.

Perdoe-me por tentar fazer coisas demais ao

mesmo tempo, sem fazer nada direito, e depois culpá-Lo por ter me dado tanto para fazer.

Perdoe-me por julgar-me dona da verdade, por não me abrir para ouvir os outros, sobretudo por não me abrir para ouvir Sua voz dentro de mim.

Perdoe-me por me julgar, me criticar, por duvidar de mim e só recorrer aos outros quando a carga fica pesada demais. Perdão por nessas horas me esquecer da Sua presença e da Sua compaixão.

Perdoe-me por estar sempre pedindo os confortos deste mundo, apesar de saber que eles nunca preencherão minha busca de plenitude.

Perdoe-me por acreditar que Você tem obrigação de me servir, quando eu nem sempre me disponho a servi-Lo.

Perdoe-me, Senhor, porque tenho muita dificuldade para me perdoar.

Eu agora me abro para receber Seu perdão, com a paz e a alegria que ele traz. Seu perdão me renova, revigora e recorda que Você já sabe, antes mesmo de eu pedir, tudo de que eu preciso.

Por tudo isso e muito mais, eu agradeço.

E assim seja!

Pedido de força ao fazer algo novo

Querido Deus,

Hoje, quero lembrar-me que sou Sua filha.

Sei que estou a salvo nos braços do Seu amor.

Sei que sou protegida pelo poder do Seu amor.

Sei que sou guiada pela sabedoria do Seu amor.

Hoje, sei que sou uma filha amada de Deus.

Sei que todas as minhas necessidades serão atendidas por Deus hoje.

Sei que todas as minhas perguntas serão respondidas por Deus hoje.

Sei que os meus interesses interessam a Deus, porque sou Sua filha amada.

Hoje, eu me volto para Deus.

Hoje, dependo de Deus.

Hoje, deposito a minha fé em Deus.

Hoje, eu me coloco nas mãos de Deus para que

Ele me conduza em segurança, fazendo-me superar meus medos.

Hoje me entrego nas mãos de Deus, pedindo que o que vou fazer sirva para o meu bem e para o bem do mundo.

Confio hoje a Deus todos os acontecimentos da minha vida, porque sei que Ele me ama exatamente como sou, hoje e todos os dias.

Por tudo isso, dou graças.

E assim seja!

Pedido de paz para tarefas difíceis

Querido Deus:

Não me deixe esquecer que sou capaz de fazer qualquer coisa.

Posso dedicar-me a atividades repetitivas.

Posso fazer coisas desagradáveis.

Posso cumprir as tarefas mais árduas, cercada por pessoas difíceis, nas circunstâncias mais adversas.

Sou capaz de realizar tudo aquilo que neste momento tenho medo de fazer.

Não me deixe esquecer, meu Deus, que sou capaz de fazer qualquer coisa.

Posso sentir-me pouco à vontade.

Posso sentir-me inadequada, indigna ou despreparada e ainda assim avançar até me sentir melhor.

Posso sentir-me insegura.

Posso sentir minha fé vacilar e minhas forças se consumirem e ainda assim construir algo de bom, algo grande e valioso.

Não me deixe esquecer, meu Deus, que sou capaz de fazer qualquer coisa.

Quando eu tiver vontade de fugir ou desistir, não me deixe esquecer que sou capaz.

Quando eu inventar desculpas ou procurar um jeito de escapar, não me deixe esquecer.

Quando eu me lamentar e reclamar, não me deixe esquecer que nenhuma tarefa é pequena, fútil ou insignificante. Não me deixe esquecer que tudo o que faço para Você hoje será recompensado dez vezes amanhã. E que mesmo os pequenos atos aparentemente sem importância contribuem para a construção do mundo que Você criou.

Eu peço, meu Deus, que não me deixe esquecer que sou capaz de fazer qualquer coisa. E, enquanto eu estiver me dedicando a essas tarefas que me parecem difíceis, não me deixe esquecer de louvá-Lo por ser capaz de fazer qualquer coisa.

Pela presença da Sua paz na essência de tudo o que tenho de fazer, sinto uma imensa e humilde gratidão.

E assim seja!

Para eliminar o cansaço e a exaustão

Querido Deus:

Reconheço que Você é a vida e a alegria de viver dentro de mim.

Reconheço que Você é o que há de mais permanente em minha vida.

Reconheço que Você é a harmonia que leva à perfeição presente em tudo.

Reconheço que Você é a força no mais íntimo do meu ser, graças à qual sou capaz de fazer qualquer coisa.

Neste momento, convoco a harmonia que é Deus para ocupar a minha mente.

Neste momento, convoco a alegria que é Deus para ocupar meu coração.

Neste momento, convoco a força que é Deus para ocupar todo o meu corpo.

Posso agora descansar, porque sei que, onde quer que eu esteja, Deus ocupa todo o meu ser! E, como Deus me habita, tudo é possível.

Agradeço, meu Deus, por renovar-me em minha mente, meu corpo e meu espírito.

Agradeço, meu Deus, por fortalecer-me em minha mente, meu corpo e meu espírito.

Agradeço, meu Deus, por revitalizar-me em minha mente, meu corpo e meu espírito.

Agradeço!

Agradeço!

Agradeço!

E assim seja!

Para resolver um conflito

Amado e Sábio Espírito Santo:

Ajude-me a dizer o que for mais adequado, da maneira mais amorosa possível, ao falar com ________ (*nome da pessoa*).

Elimine da minha mente e do meu coração todos os julgamentos, projeções e preconceitos.

Elimine da minha mente e do meu coração todo o medo, raiva, mágoa e ressentimentos passados.

Ajude-me a falar de maneira clara, serena e honesta sobre o que está acontecendo agora.

Ajude-me a falar com compaixão e generosidade.

Ajude-me a ter coragem de dizer a verdade sem nada omitir ou distorcer.

Ao conversar com ________ (*nome da pessoa*) sobre ________ (*situação em questão*), inspire-me com a Sua sabedoria a escolher bem cada palavra.

Abra a mente, o coração e os ouvidos de (*nome da pessoa*) para escutar o que digo com o mesmo desejo de entendimento e paz com que falo.

Abra a minha mente, meu coração e meus ouvidos para acolher com amor e respeito a resposta que (*nome da pessoa*) me der.

Desejo que a verdade dita e ouvida com afeto e respeito promova uma relação mais aberta, franca e amorosa entre mim e .

Eu agradeço, Espírito Santo.

E assim seja!

Oração de agradecimento

Querido Deus:

Eu agradeço por me lembrar do poder que possuo.

Agradeço por me mostrar que sou protegida, guiada e iluminada pela Sua presença divina no mais íntimo do meu ser.

Agradeço, Senhor, por me dar abrigo na tempestade, por endireitar o que está torto, por criar saídas onde parece não haver escapatória.

Agradeço por me perdoar quando eu não posso ou não quero perdoar a mim mesma.

Agradeço, Senhor, pela Sua compaixão, pela Sua graça, pela Sua bondade, que estão sempre presentes, sustentando-me nos momentos mais difíceis.

Agradeço, Senhor, por não me deixar esquecer que Você me habita e é a força que dá vida à minha alma.

Agradeço, Senhor, pela pessoa que sou.

E assim seja!

Bênção para as refeições

Querido Deus:

Agradeço por preparar esta mesa para nós.

Agradeço pelos frutos da terra que nutrem nossos corpos.

Agradeço pela alegria do convívio durante esta refeição.

Agradeço pelas mãos que prepararam estes alimentos e pela alegria de podermos compartilhá-los.

Agradeço pela abundância da Sua bondade que sustenta nossas vidas e nos fortalece para que possamos servi-Lo ainda melhor.

Por tudo o que recebemos e tudo o que ainda está por vir, nós agradecemos! Graças ao Senhor!

E assim seja!

Oração da prosperidade

A prosperidade divina é meu direito de nascença.

Nada me faltará.

Sou herdeira de um tesouro divino; nasci para herdar tudo o que existe de bom.

Tudo o que existe de saúde, riqueza, amor, paz e alegria me foi destinado por Deus, simplesmente porque existo.

Meu Pai concedeu-me o dom de respirar para viver e desenvolver-me.

É um dom precioso que usufruirei durante toda a vida, sem nem mesmo pensar.

Minha Mãe amorosamente atende a todas as minhas necessidades, antes mesmo que eu peça.

Sei que nada do que preciso me faltará.

Os dons são abundantes, basta acolhê-los.

Portas fechadas abrem-se para mim.

Passagens obstruídas são liberadas.

A divina abundância e prosperidade, junto com a graça perfeita de Deus, convergem por caminhos perfeitos em minha direção.

Nada me faltará! Nada me faltará! Nada me faltará!

Escassez, dívidas, enfermidades não me atingirão!

Sou saudável! Sou próspera! Sou LIVRE!

Sou inteira! Sou uma filha de Deus, com muito amor para dar e receber, e profundamente amada.

A fonte que me alimenta é abundante, generosa e amorosa.

Nada me faltará!

Reconheço o que é bom para mim. Aceito o que é bom para mim. Recebo o que é bom para mim!

A vida não me negará nada de bom.

Neste momento, *proíbo* minha mente (*bata três vezes no centro da sua testa*) de alimentar qualquer medo de carência ou escassez.

Porque seria um absurdo negar o que é meu direito de nascença.

É um prazer para meu Pai, é a vontade da minha Mãe, é o objetivo do meu Pai, é a alegria da minha Mãe que eu herde tudo o que é bom.

Deus é bom! E eu acolho o que me é dado para ser mais capaz de amar e repartir!

Nada me faltará! Nada me faltará! Nada me faltará!

Que assim seja.

Agradeço, Deus-Pai. Agradeço, Deusa-Mãe.

Dou graças a Deus, porque nada me faltará!

E assim seja!

Oração para eliminar dívidas

Bendito Espírito Santo e Anjos da Abundância:

Quero, neste momento, colocar minhas contas em ordem.

Quero assumir total responsabilidade por todas as minhas dívidas.

Neste momento, quero eliminar da minha vida qualquer escassez e qualquer dívida.

Reconheço que existe no universo uma enorme abundância de bens.

Quero eliminar da minha vida qualquer escassez e qualquer dívida.

Perdôo-me pelas vezes em que não honrei minhas dívidas.

Perdôo-me pelas vezes em que agi irresponsavelmente com meus recursos.

Perdôo-me por todo o mau uso de dinheiro.

Neste momento, eu me perdôo e me livro de toda culpa, vergonha e medo por ter lidado de forma prejudicial com o dinheiro, a riqueza, a fartura e a prosperidade.

Neste momento, eu me abro para uma nova forma de agïr.

Neste momento, eu me abro para receber a orientação divina que me livrará de toda dívida.

Neste momento, eu me abro para receber a inspiração divina sobre a melhor maneira de usar meus recursos financeiros.

Neste momento, eu me abro para receber toda a abundância dos dons e das graças com que Deus enriquece minha vida.

Neste momento, abro minha mente e meu coração para acolher verdades essenciais.

Se eu der, receberei!

O que eu disser, farei!

Se pedir, serei fartamente abençoada!

Por tudo isso dou graças.

E assim seja!

Prece de gratidão

Querido Deus:

Tenho tanta coisa para agradecer hoje!

Tenho braços! Tenho pernas! Tenho pés!

Sou capaz de falar! Sou capaz de pensar! Sou capaz de ouvir! Sou capaz de enxergar! Sou capaz de respirar! Sou capaz de amar!

Estou bem! Minha família está em segurança, o que me enche de gratidão!

Hoje, quero agradecer por tudo! Cada coisa, por menor que seja!

Hoje, dedicarei meu dia à gratidão!

Hoje, farei meu coração agradecer e dizer a Deus o quanto confio em Suas promessas e o quanto elas me confortam.

Sou imensamente grata por Deus ter prometido me vestir, alimentar e abrigar!

Deus prometeu que terei ao meu alcance tudo

de que preciso para ser uma pessoa plena. Deus prometeu me dar forças para enfrentar desafios e superar obstáculos. Deus prometeu me dar sabedoria para fazer as melhores escolhas.

Sinto que nada me abaterá! Nada me derrubará! Nada me dominará.

Sou tão grata por ter Deus comigo – do meu lado e ao meu lado!

O que poderia dar errado hoje?

Nada! Por tudo isso, agradeço.

E assim seja!

Agradeço agora mesmo

Querido Deus:

Quero agradecer por tudo o que Você já fez.

Não vou esperar para ver os resultados. Quero agradecer agora mesmo.

Não vou esperar até me sentir melhor ou até a situação se resolver. Quero agradecer agora mesmo.

Não vou esperar que as pessoas se desculpem ou parem de falar mal de mim. Quero agradecer agora mesmo.

Não vou esperar que a dor em meu corpo desapareça. Quero agradecer agora mesmo.

Não vou esperar que o relacionamento com meu parceiro se resolva. Quero agradecer agora mesmo.

Não vou esperar que as crianças adormeçam e a casa se aquiete. Quero agradecer agora mesmo.

Não vou esperar para ser promovida ou conseguir outro emprego. Quero agradecer agora mesmo.

Não vou esperar para entender cada acontecimento que me feriu ou magoou. Quero agradecer agora mesmo.

Não vou esperar que os problemas desapareçam. Quero agradecer agora mesmo.

Agradeço agora mesmo, porque estou viva.

Agradeço agora mesmo, porque superei algumas dificuldades hoje.

Agradeço agora mesmo, porque contornei alguns obstáculos.

Agradeço agora mesmo por ter a capacidade de fazer mais e melhor.

Agradeço agora mesmo por ter certeza de que Você não me abandona.

Agradeço agora mesmo por ter certeza de que Você me perdoa.

Agradeço agora mesmo por ter certeza de que Você me ama, aceita e reconhece, mesmo quando eu não consigo.

Não vou esperar outro momento, outra hora, outro dia.

Agradeço agora mesmo por tudo o que Você já fez, por menor que seja.

Agradeço, meu Deus!

Agradeço, meu Deus!

Agradeço, meu Deus!

Por tudo o que já recebi e por tudo o que ainda virá!

E assim seja!

Agradeço, Senhor, pela fé!

Querido/a Deus-Pai/Mãe:

Agradeço pelo dom da fé.

Mesmo quando me sinto só e assustada, a fé ainda está presente.

Mesmo quando meus recursos e reservas parecem diminuir, a fé ainda está presente.

Mesmo quando meus amigos me viram as costas, a fé ainda está presente.

Mesmo quando sou forçada a tomar decisões e fazer escolhas que não me agradam, a fé ainda está presente.

Mesmo quando meu mundo estremece, a fé ainda está presente.

Mesmo quando minha mente humana não consegue enxergar tudo de bom que Você reservou para mim, a fé ainda está presente.

Sou imensamente grata pelo dom da fé.

Sei que para ter fé basta que eu reconheça a Sua presença em todas as situações e caminhos da minha vida.

Sinto-me cheia de fé e entusiasmo. Sei que os Seus anjos cuidam de mim e preparam o terreno à minha frente.

Agradeço, Deus-Pai/Mãe.

Por tudo isso, dou muitas graças.

E assim seja!

Pedido de fé

Querido Deus:

Em todas as dificuldades, não me deixe esquecer que a fé em Você vai afastar todo o mal.

Não me deixe esquecer que a fé em Você é capaz de mover montanhas e abrir mares.

Não me deixe esquecer que a fé em Você me dá força e sabedoria.

Não me deixe esquecer que a fé em Você me dá a certeza de que fará o que for melhor para mim.

Sabendo disso, ficarei em paz.

Faça com que eu sinta que a fé em Você é o meu guia, minha proteção, meu escudo e a luz do meu caminho.

Não me deixe esquecer que a fé em Você me trará segurança em meio à tempestade.

A fé responderá minhas perguntas.

A fé abrirá meu caminho.

A fé guiará meus pensamentos.

Não me deixe esquecer que, aconteça o que acontecer, sempre poderei contar com a Sua proteção.

Porque Você, meu Deus, é fiel.

E assim seja!

O poder divino em mim

Hoje, creio no poder divino que existe em mim e se expressa através de mim.

Hoje, acredito que esse poder atua em tudo o que acontece em minha vida.

Hoje, reconheço que esse poder divino me orienta em tudo o que faço.

Hoje, vejo a presença do poder divino em toda a alegria e felicidade da minha vida.

Hoje, constato que é o poder divino que me faz realizar com entusiasmo e paixão as tarefas pelas quais sou responsável.

Hoje, me alegro porque o poder divino se manifesta na sabedoria com que faço minhas escolhas e tomo minhas decisões.

Hoje, sei que é o poder divino que me traz saúde e promove a harmonia entre as células, tecidos e órgãos do meu corpo.

Hoje, tenho certeza de que o poder divino é capaz de eliminar todas as dúvidas, aflições e medos que existem em mim.

Hoje, sou grata pela presença do poder divino.

Hoje, sou abençoada pelo amor do poder divino.

Hoje, sou forte na glória do poder divino.

Hoje, sinto que o poder divino dentro de mim está renovando todo o meu ser.

Estou repleta de bem. Estou repleta de luz. Estou repleta de fé. Estou repleta da verdade do meu ser que é dinâmico e divino.

Agradeço, agradeço, agradeço!

Assim é!

E assim seja!

Para momentos de medo ou ansiedade

Querido Deus:

Hoje, abro meu coração para experimentar e expressar a plenitude da Sua presença.

Na Sua presença, sei que as minhas forças se renovam.

Na Sua presença, conheço a paz, a alegria, a harmonia e o equilíbrio.

Na Sua presença, vejo a mim mesma e todos os outros sob uma nova luz, com olhos de amor e aceitação.

Na Sua presença, em todas as situações e circunstâncias, sinto-me cercada de poder, glória e vitória.

Na Sua presença, caem os antigos padrões de pensamento e comportamento, e são substituídos por um impulso construtivo que me conduz para tudo o que existe de bom.

Na Sua presença, todos os sentimentos de pânico, ansiedade, angústia, desequilíbrio, frustração e medo desaparecem. Meu coração se abre e se liberta de todas as emoções nocivas. Desaparecem da minha mente todos os pensamentos que promovem raiva, julgamentos ou desarmonia.

Na Sua presença, a verdade cresce dentro de mim, sobe pela minha coluna, penetra na minha mente, enche meu coração e ocupa todo o meu ser. A verdade é que não posso ser oprimida, atingida, agredida, dominada nem ignorada na presença de Deus.

Hoje, a presença de Deus dentro de mim me traz a paz e segurança de que preciso para eliminar meus medos e ansiedades.

Hoje, a presença de Deus dentro de mim me dá a certeza de que, por mais difícil ou assustadora que seja a situação, terei força e recursos para enfrentá-la.

Que alegria sinto por saber que Você, meu Deus, está do meu lado, e Sua presença é a verdade e a força do meu ser!

Por tudo isso, eu agradeço.

E assim seja!

Para momentos de desespero

Bendito Espírito Santo:

Preciso sentir o Seu conforto.

Preciso sentir a Sua força.

Preciso sentir a Sua paz.

Preciso sentir a Sua alegria.

Preciso saber que estou cercada por Sua luz e Seu amor.

Neste instante, eu me abro e deixo que Você me inunde com a Sua presença.

Então, pego todos os pensamentos negativos, as crenças perturbadoras, os julgamentos cruéis, as percepções distorcidas, os sentimentos angustiantes, e os deposito em Suas mãos acolhedoras.

Coloco nas Suas mãos amorosas toda sensação de solidão, confusão, desespero e dor.

Assim eu me liberto de tudo o que me causa desamparo e sofrimento.

Abro-me para a Sua presença, Espírito Santo, e peço que me traga alívio!

Peço que me traga paz!

Peço que me traga alegria!

Com o coração agradecido e leve, eu digo:

Agradeço, Espírito Santo!

Agradeço, Espírito Santo!

Agradeço, Espírito Santo!

E assim seja!

Para momentos de tristeza

Meu Deus, me ajude, porque este momento está sendo muito difícil, muito penoso, e eu estou sofrendo muito.

Traga-me a Sua bondade, Sua alegria, Sua beleza e Sua paz para aliviar minha dor.

Mostre-me que não adianta recriminar-me pelo passado nem ter medo do futuro.

Sempre que eu começar a me julgar por ter cometido erros ou por comportamentos que causaram grande dor na minha vida, *por favor, faça-me parar!*

Sempre que eu estiver me convencendo de que não sou boa nem inteligente, ou de que não sou capaz de progredir, *por favor, faça com que eu mude de idéia!*

Sempre que eu começar a achar que os outros não gostam de mim nem me valorizam, ajude-me a livrar-me dessa crença e faça com que eu me ame e me valorize.

Não me deixe esquecer que tudo de que preciso está dentro de mim.

Ajude-me a parar de correr e me esconder.

Ajude-me a usar o passado como um aprendizado para o meu crescimento.

Ajude-me a usufruir do que cada dia me oferece em vez de temer o futuro.

Ajude-me a me afastar de tudo o que me arrasta para baixo e me puxa para trás.

Ajude-me a lançar mão dos meus recursos e a assumir as rédeas da minha vida.

Ajude-me a saber que serei capaz de superar os obstáculos e desafios que possam estar bloqueando o meu caminho.

Faça-me sentir a paz da Sua presença e o poder do Seu amor agora.

Ajude-me a mergulhar nessa paz, a relaxar e a me desapegar!

Ajude-me a viver este momento, sabendo que ele vai passar, porque a Sua presença em mim sempre me impulsiona para a frente.

Senhor, preciso de Você agora!

Sei que cada palavra minha foi acolhida amorosamente em Seu coração.

Por isso, agradeço.

E assim seja!

Para momentos de solidão

Bendito e Divino Espírito Santo:

Encha agora o meu coração de amor.

Estou vivendo um momento de solidão e desespero.

Estou sentindo muita confusão e conflito.

Sinto-me perdida e abandonada.

Encha meu coração com a alegria do Seu amor.

Estou vivendo uma batalha dentro de mim.

Estou combatendo este dilacerante sentimento de solidão.

Estou cheia de dúvidas a meu respeito.

Este momento está sendo muito difícil e doloroso.

Parece que estou perdendo a minha alegria, a minha paz de espírito, a mim mesma.

Espírito Santo, por favor, encha-me com a força do Seu amor.

Encha o meu coração com o poder do Seu amor.

Encha o meu coração com a presença do Seu amor.

Faça-me sentir a plenitude e o conforto da Sua presença em mim.

Faça-me confiar no poder transformador da Sua presença.

Neste momento, eu abro o meu coração.

Neste momento, eu abro a minha mente.

Neste momento, eu abro a minha vida para o amor do Espírito Santo.

E assim seja!

Para momentos de luto

Querido Deus:

Você prometeu que me confortaria nos momentos de desespero.

Você prometeu que, se eu O procurasse e chamasse o Seu nome, encontraria a paz que desejo.

Neste momento, recorro a Você cheia de dor e angústia pela perda de
(*mencione o nome da pessoa ou a situação*).

Dê-me força para superar este momento.

Dê-me a certeza de que essa dor será amainada.

Dê-me a esperança de que retomarei a alegria e o entusiasmo.

Estou chamando o Seu nome, para que me dê compreensão.

Estou à Sua procura, para que me conforte.

Dependo da Sua ajuda para descobrir uma forma de aceitar essa perda.

Espírito Santo, me ajude.

Espírito Santo, me oriente.

Espírito Santo, me console.

Dê-me paz. Dê-me paz. Dê-me paz.

Confio nas promessas de Deus, e pelo poder e presença do Espírito Santo sinto-me agora mais aliviada e em paz.

E assim seja!

Para enfrentar a perda com sabedoria

Querido Deus, Bendito e Divino Espírito Santo:

Sei que Você conhece tudo o que existe.

Sei que Você dirige todos os processos da vida.

Sei que Você é o centro de todas as coisas.

Sei que Você é o princípio e o fim.

Neste momento, meu coração está cheio de dor pela perda de (*mencione o nome da pessoa ou a situação*).

Conceda-me Sua divina compreensão. Para ela me abro a fim de entender como aceitar essa perda.

Conceda-me Sua divina orientação. Para ela me abro a fim de superar essa experiência com serenidade.

Mostre-me como aproveitar a experiência dessa perda para meu próprio crescimento e cura. Eu me abro para receber Sua divina revelação.

Conceda-me coragem para fazer tudo o que for necessário.

Coloco confiantemente em suas mãos todos os meus questionamentos e revolta.

Convoco o poder e a presença pacífica e confortadora do espírito de Deus.

Em Suas mãos, querido Deus, deposito essa dor.

Encha-me de paz.

Encha-me de consolação.

Encha-me de aceitação.

Encha-me de força.

Encha-me de coragem.

Que assim seja.

Para quando o coração está ferido

Querido Deus:

Crie em mim um coração puro e renove a força do meu espírito.

Há muito tempo alimento raiva contra muitas pessoas, inclusive eu mesma.

Crie em mim um coração puro e renove a força do meu espírito.

Tenho sido incapaz de oferecer meu amor, meu apoio e até a minha gratidão àqueles que sempre estiveram ao meu lado.

Crie em mim um coração puro e renove a força do meu espírito.

Voltei-me contra meus entes mais queridos.

Crie em mim um coração puro e renove a força do meu espírito.

Agi de maneira errada e pelos piores motivos possíveis.

Crie em mim um coração puro e renove a força do meu espírito.

Desrespeitei a mim mesma e outros que não o mereciam.

Crie em mim um coração puro e renove a força do meu espírito.

Permiti que o medo, a raiva, o ressentimento, a desconfiança e o interesse mesquinho controlassem meus pensamentos e dirigissem meus atos.

Crie em mim um coração puro e renove a força do meu espírito.

Duvidei das pessoas e duvidei até de Você.

Crie em mim um coração puro e renove a força do meu espírito.

Deixei que a mágoa se instalasse em meu coração e me levasse a perder a confiança em Você.

Crie em mim um coração puro e renove a força do meu espírito.

Permiti que os hábitos me governassem, a desobediência me controlasse e a falta de disciplina me afastasse dos objetivos que Você semeou no meu coração.

Crie em mim um coração puro e renove a força do meu espírito.

Não tenho sido honesta nem comigo nem com os outros.

Crie em mim um coração puro e renove a força do meu espírito.

Tenho ferido as pessoas sem razão e por isso meu coração está pesado.

Crie em mim um coração puro e renove a força do meu espírito.

Deposito agora nas Suas mãos tudo o que não vem de Você.

Desejo profundamente servir a Você e aos outros, oferecendo todo o amor e compaixão que Você colocou em meu coração.

Para que eu saiba que Você é a verdade dentro de mim, eu peço:

Crie em mim um coração puro e renove a força do meu espírito.

Por tudo o que já recebi e tudo o que ainda está por vir,

Eu dou graças eternas.

E assim seja!

Oração para o fim de um relacionamento

(Ou qualquer outra experiência de perda repentina)

Querido Deus:

Hoje eu peço força para me desapegar. Sei que esta experiência já cumpriu seu papel na minha vida. Agora é tempo de seguir em frente, mas estou com medo. Por isso eu peço: dê-me forças para me desapegar.

Hoje, eu peço coragem para seguir adiante. Sei que não há mais nada que eu possa dar, nada que possa receber se continuar onde estou. Sei que Seu objetivo divino já foi alcançado e que algo maior me aguarda mais à frente. Mas, neste momento, estou dominada pela dor, e essa dor está me impedindo de sair do lugar. Por isso eu peço: dê-me forças e coragem para caminhar.

Hoje, eu peço sabedoria para perdoar. Estou sentindo muita raiva, muita vergonha, muita culpa. Tenho me esforçado tanto para entender o que fiz, o que devia ter feito, o que devia ter parado de fazer há muito tempo. Sei que, se eu pudesse perdoar a mim e a todas as pessoas envolvidas, conseguiria superar toda esta raiva, toda esta mágoa. Mas, neste momento, estou furiosa. Sei que é este rancor que está me paralisando e fazendo com que eu me sinta perdida. Eu peço forças, coragem e sabedoria para me perdoar, pois só assim serei capaz de perdoar os outros.

Hoje, eu peço compreensão. Estou tentando entender, mas a verdade é que não consigo! Estou tentando enxergar qual é o sentido de tudo isso que está acontecendo, a fim de não sentir tanto ódio, tanto medo. Se, por algum motivo, ainda não é o momento de eu compreender, por favor, meu Deus, alivie a minha dor.

Hoje eu peço a humildade da aceitação. Confesso que não estou gostando nada desta situação. Apesar de não entender por que isso tudo está acontecendo, estou disposta a me submeter. Estou disposta a aceitar esta experiência – só que, neste momento, meu impulso ainda é resistir. Por isso eu peço: dê -me humildade para que eu seja mais capaz de aceitar.

Hoje, eu peço paz. Suplico por paz! Neste momento, rogo que a presença consoladora da paz supere o medo e a raiva que ameaçam me consumir. Sei que, com paz, minhas forças e minha coragem aumentarão e eu conseguirei me encontrar em meio a toda esta perda. Eu me abro agora para receber e experimentar a paz em meio a esta tempestade. Desejo que a paz acalme a minha alma. Agora, recebo, abraço e acolho a presença da paz na minha mente, no meu coração e no meu espírito.

Hoje, fico de pé fortalecida! Avanço com coragem! Ajo com sabedoria! Abro-me para a compreensão divina! Aceito com humildade todos os meus pensamentos e sentimentos e experimento a presença crescente da paz.

Por tudo isso e muito mais, dou muitas, eternas graças.

E assim seja!

Para meu momento de maior fragilidade

Senhor!

Tenho uma sensação de imensa vulnerabilidade, e ela me assusta.

Neste momento, acho que não terei forças para seguir adiante.

Tudo me parece sombrio e ameaçador.

No entanto, eu sei.

Sei que o lugar onde me encontro agora é sagrado.

Sei que esta é uma oportunidade preciosa de transformação.

Sei que Deus coloca esses desafios no caminho para promover meu crescimento.

Sei que agora é preciso fazer uma escolha.

Entregar-me e desistir ou, em meio à lição mais árdua, ganhar forças, aumentar meu poder, crescer em sabedoria, com a certeza de que serei atendida em todas as minhas necessidades.

É esta a escolha que quero fazer.

Em meu momento mais frágil, deparo-me com uma oportunidade divina para que Deus demonstre como é magnífico Seu poder em mim.

Sei que esta é a verdade.

Aceito ser esta a verdade.

Neste preciso momento, exatamente aqui onde estou, o poder e a força de Deus estão se manifestando em mim com a maior perfeição.

Eu confio.

Eu me entrego.

Que bênção!

E assim seja!

Oração de entrega

Querido Deus:

Hoje, reconheço e aceito que minha vida é obra Sua, e eu a entrego a Você.

Hoje, deposito em Suas mãos todo o medo, as dúvidas, as preocupações, a ansiedade e o desejo de controle.

Hoje, reconheço e aceito minha incapacidade de consertar sozinha qualquer coisa ou qualquer pessoa.

Hoje, reconheço e aceito minha incapacidade de mudar sozinha qualquer coisa ou qualquer pessoa.

Hoje, reconheço e aceito minha incapacidade de curar sozinha qualquer coisa ou qualquer pessoa.

Hoje, reconheço e aceito que sozinha não sou capaz de ajudar ninguém.

Hoje, reconheço e aceito minha incapacidade de controlar sozinha qualquer coisa ou qualquer pessoa.

Hoje, reconheço e aceito que, sozinha, não sou capaz de consertar, transformar, curar nem ajudar a mim mesma.

Sou uma obra Sua. Minha vida é obra Sua.

Hoje, meu Deus amado, eu peço que Você aja sobre mim, dentro de mim, através de mim.

Peço que aja nos meus relacionamentos, em todos e em tudo o que existe na minha vida.

Hoje, Senhor, eu me entrego em Suas mãos, confiando que tudo o que vier de Você será bom.

Por tudo isso, eu agradeço.

E assim seja!

Oração de cura

Querido Deus:

Hoje, eu suplico que seja eliminado tudo o que me separa de Você e do total bem-estar em minha vida.

Hoje, eu peço ardentemente o Seu poder curativo, Sua presença curativa, Sua luz curativa, Seu amor curativo para trazer saúde ao meu corpo, à minha mente, ao meu espírito.

Hoje, eu rogo que todos os meus problemas sejam resolvidos, todas as minhas relações e relacionamentos, reparados!

Clamo por cura em minha mente consciente e inconsciente.

Clamo por cura em todo o meu ser!

Clamo por cura do passado!

Clamo por cura do futuro!

Clamo por cura das minhas finanças!

Clamo por cura dos meus entes queridos!

Livre-me de todo o mal, livre do mal o meu lar e todos os que me são próximos e amados!

Agora, reconheço, aceito e proclamo que, por mim mesma, nada sou capaz de fazer.

Agora eu sei, agora afirmo, agora declaro que estou sendo inundada pelo poder curativo da vida, da luz e do amor, em toda a sua abundância.

Tudo está bem em minha mente, em meu corpo, em meu espírito e na minha vida.

Por tudo isso, agradeço.

E assim seja!

Oração pela paz no dia de hoje

Hoje, preciso ficar quieta e deixar que Deus me ame.

O amor de Deus é a minha força.

O amor de Deus é a minha proteção.

O amor de Deus é a minha luz em meio a toda a escuridão.

O amor de Deus é a satisfação de toda fome, de toda sede.

O amor de Deus é a minha fonte, o poder que me move.

O amor de Deus, sempre presente, é a única coisa de que necessito.

O amor de Deus é tudo o que desejo e busco hoje.

Pois na presença do Seu amor tudo fica bem na minha vida e na minha alma.

Hoje, preciso ficar quieta e deixar que Deus me ame.

Ao pronunciar estas palavras, ao pensar nestas

palavras, elas se transformam na presença do Espírito Santo e se tornam realidade neste dia da minha vida.

Assim é!

E assim seja.

O poder da paz

Hoje, eu determino que um único poder e uma única presença operem no meu espírito, no meu corpo, na minha vida e em tudo o que me diz respeito.

Determino que a presença e o poder da paz invadam todo o meu ser.

(Pausa, respirando profundamente)

A melodia da paz ressoa agora no meu coração.

Sinto-me inundada por uma esplêndida sensação de liberdade pacífica.

Irradio agora o amor e a paz do divino.

Extraio agora de cada experiência o que ela tem de mais sublime e elevado.

Estou cheia de confiança, paz e poder espiritual.

Usufruo a beleza da natureza, e minha alma está serena.

Determino que assim seja.

E assim é.

Oração pela paz do mundo

Precioso Senhor do Universo:

Hoje, renuncio a todas as armas do ódio e agressão em meus pensamentos, palavras e atos.

Hoje, renuncio aos ressentimentos e mágoas que me levaram a atacar os outros e prejudicar-me.

Hoje, renuncio a todas as idéias de cinismo e julgamento, a todas as palavras destrutivas e a todos os atos de vingança e violência contra mim e contra os outros.

Hoje, limpe-me de todos os pensamentos e palavras de ataque, a fim de que eu possa dar os passos necessários para instalar a paz em meu coração e oferecê-la ao mundo.

Hoje, não me deixe esquecer que cada ato meu é importante para construir a paz no mundo.

Hoje, abro meu coração para enviar a energia do amor a todos os líderes mundiais.

Hoje, abro o meu espírito para contribuir na criação de um mundo em que a agressão e a violência se transformem em solidariedade e compaixão.

Hoje, abro meus olhos para conscientizar-me de tudo o que posso fazer ou dizer para promover a presença da paz.

Hoje, reconheço que a paz começa comigo.

Hoje, eu me entrego confiantemente em Suas mãos; dedico cada idéia que penso, cada palavra que digo e cada um dos meus atos à criação, manutenção e propagação da paz.

Hoje, eu peço paz, abro-me para acolhê-la e procuro impregná-la em cada uma das minhas experiências.

Faça com que a luz da paz reine em mim!

Que a presença da paz reine no mundo.

Faça com que o poder da paz irradie de mim e através de mim!

Que a paz envolva todo o mundo!

Assim é!

E assim seja!

Prece de celebração pelo dia de hoje

Este é o dia em que o Senhor disse: "Alegrem-se!" Vou alegrar-me e agradecer por este dia!

Estou usufruindo este dia? Já dei graças por ele? Não é maravilhoso que, quando por algum motivo eu me desvio do caminho traçado por meu Criador, aconteçam em minha vida situações que me reconduzem a Ele? O importante na vida é a experiência de viver! Por isso, meu Deus, eu agradeço.

Sei que, onde quer que eu esteja hoje, serei abençoada! Cada momento será uma oportunidade divina para eu tomar consciência da presença de Deus em mim. Este é um dia perfeito para celebrar o meu crescimento, a minha capacidade de alegrar-me por tudo o que recebo, a força de Deus que existe em mim e que me leva para a frente.

Não sou a mesma pessoa que eu era ontem; cada

dia traz novos desafios, grandes e pequenos, e é superando-os que eu me transformo!

Este é o dia que Deus criou para que eu entre mais em contato com a Sua presença! Este é o dia que Deus criou para me mostrar o que o Seu poder fará por mim se eu simplesmente deixá-Lo agir!

Acho que vou sair e fazer alguma coisa boa por mim hoje. Uma coisa divertida! Deus vai se alegrar com isso. Ele vai acolher os meus desejos e me apoiar. Deus me ama, e eu sinto este amor.

Então, tudo o que preciso fazer é agradecer.

Assim é!

E assim seja!

Oração da noite

Boa noite, meu Deus.

Agradeço por tudo o que vivi hoje.

Agradeço por me guiar, proteger, ensinar e livrar do mal neste dia.

Agradeço por cada refeição que fiz hoje.

Agradeço pelo convívio com minha família e meus amigos.

Agradeço por todas as pequenas alegrias que este dia me trouxe.

Agradeço por todas as palavras gentis que foram ditas a mim e sobre mim hoje.

Agradeço por todas as oportunidades que tive hoje de ajudar alguém, de ouvir alguém, de lembrar a alguém que cada dia é uma bênção.

Agradeço por todas as experiências que me fizeram crescer.

Agradeço por me perdoar todas as vezes que fui intolerante ou impaciente hoje.

Agradeço pela Sua graça, pela Sua compaixão, por Seu amor generoso e incondicional.

Ao fim deste dia, peço um descanso tranqüilo.

Peço que Você renove meu espírito e Sua força dentro de mim.

Peço que me ajude para que amanhã eu avance mais no amor, na compaixão, e assim O possa servir melhor.

Receba em ação de graças as palavras da minha boca e as reflexões do meu coração hoje e sempre.

E assim seja!

Conheça outros títulos de Iyanla Vanzant

Enquanto o amor não vem

"Haverá um momento em sua vida em que o amor vai chegar. Antes disso, você terá feito tudo o que podia, tentado tudo o que podia, sofrido o quanto podia e desistido muitas vezes.

Mas, com certeza, posso lhe garantir que esse dia virá. Nesse meio tempo, esse livro vai lhe contar muitas histórias e lhe ensinar algumas coisas que você pode fazer para se preparar para o dia mais feliz de sua vida: o dia em que experimentar o amor verdadeiro."

Iyanla Vanzant

Um dia minha alma se abriu por inteiro

"Quero compartilhar com você aquilo que mais me ajudou a permanecer aberta e bem fundamentada na compreensão de quem realmente sou, quando as experiências da vida ameaçaram fazer-me esquecer.

Estou propondo uma jornada de quarenta dias e quarenta noites para que você tome consciência das coisas que realmente importam nesta vida. Este será o primeiro passo na direção do crescimento pessoal e do fortalecimento espiritual."

Iyanla Vanzant

Sei que vou sair dessa

De tempos em tempos, passamos por momentos de crise que nos desestruturam tanto que achamos que não conseguiremos suportar a dor. Iyanla Vanzant chamou essas crises de vales, momentos profundamente difíceis da vida. Nesse livro, ela ensina como identificar um vale, como sair dele e que lições podem ser tiradas de cada experiência negativa.

A vida vai dar certo para mim

A vida vai dar certo para mim é um guia para o crescimento pessoal e espiritual, uma esplêndida oportunidade de você se conhecer, se entender e descobrir a essência do seu ser.

Quando você se dedica a curar o seu mundo interior, se amando, se respeitando e usando esse amor e respeito como padrão para a sua relação com os outros, todas as riquezas deste mundo vêm até você. Com a intensidade e a beleza de suas palavras, Iyanla Vanzant oferece 365 lições de vida, uma para cada dia do ano.

Ontem, eu chorei

"Esse livro não é apenas a minha história, é a nossa história. História das coisas comuns que todos nós vivemos e que não aprendemos a expressar. História das coisas que nos mantêm mutilados porque as vemos com medo, com raiva, com culpa e com vergonha.

Minha vontade é que minha história ajude as pessoas a jogarem fora suas muletas de deformações e vícios, para podermos ficar juntos em uma nova época, em um novo lugar, com uma nova compreensão que nos permitirá celebrar o fato de estarmos vivos."

Iyanla Vanzant

Esperando o amor chegar

Você está passando por uma fase de confusão, ansiedade e frustração? Sente pena de si mesmo? Acaba de terminar um relacionamento amoroso e tem a sensação de que nunca encontrará seu par ideal?

Esse livro é um instrumento precioso que vai ajudar você a identificar os problemas e questionar o que está bloqueando o amor em sua vida. Seguindo os conselhos da autora e dedicando-se aos exercícios práticos, você encontrará as respostas que procura e poderá alcançar a paz, o entendimento, a sabedoria e o amor que deseja.

INFORMAÇÕES SOBRE OS PRÓXIMOS LANÇAMENTOS

Para receber informações sobre os lançamentos da EDITORA SEXTANTE, basta enviar um e-mail para atendimento@esextante.com.br ou cadastrar-se diretamente no site www.sextante.com.br

Para saber mais sobre nossos títulos e autores, e enviar seus comentários sobre este livro, visite o nosso site: www.sextante.com.br

EDITORA SEXTANTE
Rua Voluntários da Pátria, 45 / 1.404 – Botafogo
Rio de Janeiro – RJ – 22270-000 – Brasil
Telefone: (21) 2286-9944 – Fax: (21) 2286-9244
E-mail: atendimento@esextante.com.br